¿Dónde
Marq...

GW01036315

Loreto de Miguel y Alba Santos

¿Dónde está la Marquesa?

edelsa

GRUPO DIDASCALIA, S.A.
Plaza Ciudad de Salta, 3 - 28043 MADRID - (ESPAÑA)
TEL.: (34) 914.165.511 - FAX: (34) 914.165.411

Colección **"Para que leas"**:
Dirigida por Lourdes Miquel y Neus

Primera edición: 1987
Segunda edición: 1990
Tercera edición: 1992
Cuarta edición: 1995
Primera reimpresión: 1996
Segunda reimpresión: 1998

Diseño de colección y cubierta: *Angel Viola*
Ilustraciones: *Mariel Soria*

© Las autoras
  EDELSA Grupo Didascalia, S.A.

ISBN: 84-7711-015-8
Depósito legal: M-2336-1998
Impreso en España: ROGAR, S.A.
Encuaderna: PERELLÓN

—¡Qué sol! ¡Qué día tan bonito!

El Retiro[1] está lleno de gente. Siempre es así los domingos por la mañana: jóvenes y mayores haciendo deporte, corriendo un poquito para adelgazar, padres y madres con sus hijos, jóvenes comiendo pipas, palomitas y barquillos[2], grupos de amigos sentados tomando el aperitivo[3], músicos africanos, argentinos, peruanos..., niños jugando, grupos de teatro, gente con el periódico debajo del brazo, gente que mira a otra gente, sonriente.

A Mercedes Serra le gustan muchísimo los domingos por la mañana. Le parecen un momento feliz pero en Madrid, en el Parque del Retiro de Madrid, todavía más.

Pepe Rey y Mercedes se han levantado a las diez. Han desayunado en «La Mallorquina», una pastelería de la Puerta del Sol muy buena y, después, han ido andando tranquilamente hasta el Parque.

—Oye, Pepe, ¿dónde está el Palacio de Cristal?

—Muy cerca. ¿Ves esa avenida a la derecha del estanque[4]? Pues se sube por allí y, luego, a la derecha.

—¿Por qué no vamos?

* * *

Entre el Palacio Velázquez[5] y el de Cristal hay un bar con mesitas entre los árboles. Pepe Rey y Mercedes se sientan en una.

—¿Qué desean?

—Yo, una cerveza, ¿y tú?

—Otra y unas patatas fritas. ¿Quieres unas aceitunas?[6]

—Vale.

—Y unas aceitunas...

En la mesa de al lado una gitana le está leyendo la mano a una turista. Explican el futuro por doscientas pesetas: el futuro es siempre bueno y está lleno de hijos guapísimos.

El Palacio de Cristal brilla con el sol. Hay una exposición de Ibarrola, un escultor vasco. La gente entra y sale continuamente pero a Mercedes no le apetece verla porque no le gusta el arte moderno.

—¿A qué hora cierran El Prado[7] los domingos?

—No sé. Creo que a las dos. ¿Por qué?

—Es que me gustaría ir. Hace mucho tiempo que no he ido.

—Ah, pues vamos.

* * *

Mercedes es de Barcelona[8] y viene poco a Madrid.

«En la mesa de al lado una gitana...»

Para muchos catalanes Madrid está lejos, más lejos que París. Pero a Mercedes cuando viene le gusta. Le parece una ciudad muy interesante y alegre.

Salen de El Retiro por la Puerta de Alcalá[9], bajan hasta Cibeles[10] y allí cogen el Paseo del Prado. Van rápido porque es tarde. Llegan al Museo a la una y media.

Para entrar enseñan su carné de identidad al portero.[11]

—¿Saben que cerramos dentro de media hora?

—¿Qué hacemos, Mercedes?

—Bueno, como ya estamos aquí, vemos un momento «Las Meninas»[12] y nos vamos. Hace mucho que no lo he visto.

Suben al primer piso. Pasan rápidamente por un ancho pasillo donde, a la izquierda, están las salas de Velázquez. Entran en una pequeña. Al fondo, como una ventana mágica, está «Las Meninas».

—¡Qué maravilla!

—¿Verdad que sí? Creo que es la quinta vez que vengo este año y cada día me gusta más.

Diez minutos después salen de la sala.

—¡Velázquez es genial!

—Pues ahora verás «Las hilanderas»[12]. Mira, ahí está.

Están delante del cuadro cuando llega un vigilante. Es un joven alto y fuerte, de pelo rizado, muy moreno y con un enorme bigote negro. Muy serio les dice:

—Señores, vamos a cerrar. Tienen que irse.

Otra vez el enorme pasillo.

—Oye, Pepe, ¿tú sabes dónde está «La Marquesa de la Santa Cruz»?[13]

—Aquí mismo. Al otro lado.

—¿Por qué no vamos un momento? Todavía no la he visto.

Mercedes y Pepe van hacia una puerta a la izquierda para entrar en la sala de Goya. En ese momento el vigilante se pone delante de ellos y no les deja pasar. Empuja a Pepe y, muy enfadado y casi gritando, dice:

—La salida es por ahí. Al fondo del pasillo.

Pepe intenta explicarle:

—Es sólo un momento. Esta amiga ha venido de Barcelona y...

—Al fondo, a la derecha.

Un poco nerviosos Pepe y Mercedes van hacia la salida.

—¡Qué antipático! ¿No?

—Antipatiquísimo. La verdad es que es tarde y seguro que quiere irse a comer.

—Claro, claro... Bueno, no podré ver «La Marquesa».

—Sí, mujer. Como mañana yo trabajo, vienes a verla por la tarde. Por la mañana está cerrado.

* * *

Los lunes son siempre horribles. La gente va corriendo por la calle para no llegar tarde al trabajo, hay coches por todas partes, no hay sitio para aparcar, los niños andan despacio para llegar un poco tarde al colegio. Todo el mundo está de mal humor. El próximo fin de semana está todavía muy lejos.

Como cada día, Pepe Rey se para en el quiosco que está delante del Ministerio de Educación, en la calle de Alcalá. Hoy compra «El País» y «Diario 16». Sabe que no tiene mucho trabajo: podrá leer los dos periódicos y

«Bueno, no podré ver "La Marquesa".»

hacer los crucigramas. Le encantan. Anda por la calle Barquillo leyendo los titulares: «Real Madrid, 4; Barcelona, 4», «Este año vendrán a España más turistas que nunca».

Llega a la esquina de la Plaza del Rey y ve cómo los funcionarios van entrando en el Ministerio de Cultura. Algunos también salen a desayunar. También hay palomas volando y el reloj marca las nueve de la mañana.

—No sé por qué me he levantado tan pronto —piensa Pepe Rey. Y se acuerda de Mercedes que se ha quedado en casa durmiendo tranquilamente.

Llega a «Los Pinchitos», una cafetería que está muy cerca de su oficina y que tiene unos churros y unas porras muy buenos[14]. Cada día desayuna aquí. Le gusta llegar al trabajo lentamente. Pide una ración doble de porras y un café con leche en vaso grande.

«Tengo que ir al gimnasio», piensa. «Estoy cada día más gordo», y moja la última porra en el café con leche. Paga y se va.

—Adiós, don José —le dice el camarero—, y gracias.

El camarero echa la propina[15] en una caja en la que pone «bote».[16]

Unos metros más arriba hay un estanco[17]. Compra dos paquetes de «Ducados»[18] y piensa que tiene que dejar de fumar.

* * *

Se va al despacho. Susi está escribiendo a máquina.

—Hola, Susi. ¿Qué tal el fin de semana?

—Muy bien, jefe.

—¿Ha llamado alguien?

—No, nadie. Ah, bueno, sí, una tal Mercedes, que esta mañana irá de compras por Serrano[19], comerá con una amiga suya y luego irá al Prado, y que le llamará a las seis o seis y media. ¿Qué le pasa, jefe?

—Nada, nada.

Entra en su despacho. Está de mal humor. Es un buen detective pero últimamente no tiene trabajo. Y necesita trabajar, necesita dinero. Y, además, pensaba comer con Mercedes. Está harto de comer solo. Pensaba llevarla a un restaurante de cocina francesa de un amigo suyo. Pero Mercedes ha salido con Paloma Villaverde, una chica rica y pesada que a Pepe le cae muy mal. Recuerda que los lunes en «Botín»[20] hacen callos a la madrileña y decide ir a comer allí. Ya no se acuerda del gimnasio ni de lo gordito que está.

* * *

A las cinco de la tarde está aburrido: ya ha leído los periódicos, el cenicero está lleno de colillas y le duele muchísimo el estómago.

«Creo que he comido demasiado», piensa.

Suena el teléfono. Susi no lo coge. Está en el lavabo. Susi casi siempre está en el lavabo cuando hay algo que hacer. Lo coge él.

—¿Diga?

—Pepe, Pepe. ¡«La Marquesa» no está! —dice Mercedes.

—Ah, no sabía que tu amiga era marquesa.

—Pepe, no seas tonto. Te digo que «La Marquesa» no está.

—¿Qué marquesa?

—Pues la de «la Santa Cruz», la de Goya, que no está.

—¿Cómo que no está? ¿Estás segura de que has ido a la sala que te dije?

—Claro que sí. En la pared no hay nada.

—¿Se lo has dicho a alguien?

—Sí, he avisado al vigilante y hemos llamado a la policía. Pepe, por favor, ven. Estoy muy nerviosa.

—Voy para allá. Espérame.

* * *

Pepe coge un taxi.

—Al Museo del Prado. Rápido, por favor.

Entra en el Museo y cuando llega a la primera planta, a la sala de Goya, casi no puede entrar: está llena de gente, de fotógrafos, periodistas, policías... Allí, al fondo, está Mercedes contestando a los periodistas.

—¿Usted ha sido la primera persona que ha visto que el cuadro no estaba?

—Sí.

—¿A qué hora?

—No sé... A las... cuatro y media.

—¿Y qué ha hecho entonces?

Pepe se acerca a Mercedes.

—Por favor, por favor... Mercedes, ¿cómo estás?

—Vámonos, Pepe, por favor. Estoy muy nerviosa.

Allí está Romerales, un inspector de policía que no es muy amigo de Pepe. Tiene muy mal carácter y no le gustan los detectives privados.

—¿Qué haces aquí, Pepe?

—Tranquilo, Mariano. He venido a buscar a esta amiga.

—Cuidado, Pepe, cuidado. Esto es un asunto de la policía. Y a usted, señorita, quizás la llamaremos otra vez.

* * *

Mercedes está nerviosa, excitada. Ha venido a Madrid a descansar, a pasar unos días tranquilos. Bebe un cubalibre[21] y fuma y fuma.

—Esas fotos, esos periodistas... Y ese policía... ¿Cómo se llama?

—Romerales, Mariano Romerales.

—¿Quién ha podido hacerlo?

—Ni idea, pero es un cuadro muy famoso. Si lo sacan fuera de España, pueden venderlo y ganar cientos de millones. Lo han tenido que robar entre el mediodía de ayer y el de hoy porque es cuando el Museo estaba cerrado. Tengo que volver. Quiero hablar con los vigilantes del Museo.

* * *

A la mañana siguiente Pepe vuelve al Prado. Sube y habla con un vigilante mayor, calvo y gordo. «Más calvo y más gordo que yo», piensa Pepe.

—¿Usted estuvo aquí toda la mañana?

—Sí, señor.

—¿Y no vio nada raro?

—No, señor. El domingo vino muy poca gente.

—¿A qué hora se fue a comer?

—A las tres menos veinte o menos cuarto.

—¿Qué hizo antes de irse?

—Pues estuve mirando las salas para ver si estaban vacías. Luego bajé para cambiarme de ropa y después me fui a mi casa a comer y a ver el partido de fútbol.

—¿Y su compañero? ¿A qué hora se fue?

—¿Mi compañero? ¿Cuál?

—Sí, el otro vigilante, el chico joven que también estaba el domingo en esta planta...

—Perdone, señor, pero en esta planta, los domingos no hay ningún otro vigilante. Estamos sólo dos compañeras y yo. Aquella señora rubia de allí y esa chica joven.

Entonces... ¿quién era aquél hombre tan antipático?

*　*　*

Pepe está sentado encima de la mesa de Susi. Siempre se lo cuenta todo a Susi porque es muy inteligente y, a Pepe no le gusta decirlo, más lógica que él.

—El bigote, jefe. Ha dicho «un gran bigote negro».

—Exacto. Eso es. Un bigote postizo. El hombre que tenemos que encontrar...

—No lleva bigote.

—Susi, Susi, eres estupenda.

Cinco minutos después Pepe ya no está tan animado. Nunca podrá encontrarlo.

—Jefe, le llama Mercedes. Por la línea dos.

—Pepito, querido, ¿por qué no vamos al teatro esta noche?

—Es que no estoy muy animado. Me apetece dormir o emborracharme.

—¿Por qué?

—Porque por una vez que puedo tener un caso y descubrir quién ha robado ese cuadro, no tengo ninguna pista. Bueno, sí, un bigote...

—Hombre, ya tienes un bigote. Eso es más que nada. Venga, Pepe, anímate y vamos al teatro...

Al final Pepe siempre hace lo que sus amigas quieren hacer. No le gusta enfadarse ni discutir y, sobre todo, no le gusta quedarse solo. Hace tres años que se separó de su mujer y está empezando a cansarse de la soledad.

—Está bien, guapa. Esta noche, al teatro. ¿Y qué vamos a ver? Decídelo todo tú.

—Yo quería ver «Las Meninas» de Buero[2], que me han dicho que es muy buena. Además, hoy es el último día, mañana se van a Colombia. ¿La has visto?

—¡Vaya! ¡Más Meninas!... No, no la he visto.

Madrid es una ciudad de teatro. En Madrid hay mucho teatro, teatro de todo tipo, teatro del de verdad, mucho más teatro que en otras ciudades españolas.

—¿A qué hora quedamos?

—¿Te va bien dentro de una hora y media en la puerta?

—Estupendo. Hasta luego.

* * *

La obra es interesante pero Pepe está pensando en el robo de «La Marquesa». No puede pensar en otra cosa. A Mercedes le está gustando: es una compañía de actores jóvenes, «La Máscara», y lo hacen bien. El escenario es muy bonito: es el interior de un palacio barroco. Poco a poco Pepe Rey se olvida del robo y mira al escenario: hay un hombre vestido de pobre en el suelo. Un actor dice:

—*Se ha desmayado. Yo diría que es un antiguo conocido, señor.*

—*¿Quién?* —pregunta el actor que hace de Velázquez.

—*Aquel truhán que os sirvió de modelo para el Esopo.*

—*¿Qué?*

—*Juraría que es él.*[23]

«Madrid es una ciudad de teatro. En Madrid hay mucho teatro…»

El hombre vestido de pobre se levanta. Pepe lo mira atentamente y le dice a Mercedes:

—Juraría que es él.

—¿Quién?

—El vigilante.

—¿No me digas?

—Sí, sí. Fíjate.

Cuando el actor empieza a hablar ya no hay dudas. Es el antipático y falso vigilante del Museo.

—Tú, Mercedes, no te muevas. Voy a hacer una llamada.

Un rato después Pepe Rey vuelve a su asiento. La obra está acabando. Un actor dice:

—*¿Qué pensará don Diego, él, que lo sabe todo?*[24] El público aplaude. Los actores salen a saludar.

* * *

Unos minutos después Pepe y Mercedes entran en los camerinos. Los actores están arreglándose para irse, hay mucha gente trabajando: recogiendo los grandes cuadros, las lámparas y los sillones del escenario. Tienen prisa. Mañana se van a Colombia.

Pepe y Mercedes buscan a su hombre. Está al fondo. Se acercan.

—Queremos felicitarle. Es usted un gran actor.

—Gracias, muchas gracias. Pero éste es un personaje fácil, sencillo.

—Sí —dice Pepe— éste es fácil pero el personaje de vigilante del Museo del Prado es más difícil. Lo sabemos todo.

* * *

«Y una foto de Romerales sonriente junto al cuadro.»

—Todo el mundo quieto.

Es Romerales que entra con un grupo de policías. Toda la compañía levanta las manos.

—¿Y cómo iban a sacar el cuadro fuera de España? —se pregunta en voz baja Romerales que no es lo que se dice una persona inteligente.

—Elemental, inspector. Mire en esas cajas. Mañanana se iban a Colombia a un festival de teatro. Mire, mire, busque por ahí, seguro que encuentra a una marquesa. ¡Ah!, y cuando la vea, salúdela de mi parte.

Pepe y Mercedes salen. Pepe quiere olvidar y necesita una copa. Cogen un taxi y se van a «Amnesia», una discoteca de moda.

—¿Por qué estás de tan mal humor? —pregunta Mercedes— Lo has descubierto todo. Eres un detective genial.

—¿Qué por qué estoy de mal humor? —Pepe enciende un cigarrillo—. Sí, es verdad, lo he descubierto todo. Pero ¿quién me va a pagar este caso? ¡Nadie! Y, además, mañana en los periódicos Romerales saldrá en la foto y nadie dirá nada de mí.

* * *

Pepe Rey no se equivoca. No se equivoca casi nunca. En los periódicos de la mañana puede leerse:

«Descubierta "La Marquesa de la Santa Cruz": "La Máscara", una compañía de teatro que robaba cuadros.»

Y una foto de Romerales sonriente junto al cuadro.

—Inspector Romerales, ¿cómo descubrió el robo?

—Inteligencia, querido amigo, inteligencia.

Notas

(1) El Retiro es el parque más importante de Madrid. Está situa-do en el centro de la ciudad.

(2) Pipas: semillas de girasol tostadas y saladas.
Palomitas: «pop corn»
Barquillos: tipo de galleta de forma cilíndrica.
Las tres cosas son consumidas habitualmente por niños y jó-venes.

(3) Los españoles, a veces, poco antes de la comida suelen to-mar alguna bebida, frecuentemente alcohólica, acompaña-da de algo de comer como patatas fritas, aceitunas, caca-huetes, calamares, pescaditos fritos, etc.

(4) Lago artificial que está en el centro del parque donde hay pequeñas barcas de remo de alquiler.

(5) El Palacio Velázquez y el Palacio de Cristal están situados en el centro de El Retiro. Fueron construidos por el arquitec-to Ricardo Velázquez Bosco en 1887 y en la actualidad se utilizan como salas de exposiciones.

(6) El Prado es uno de los museos de pintura más importantes del mundo. En él hay cerca de 3.000 cuadros y tiene la más completa colección de pintura española: Murillo, El Greco, José de Ribera, Zurbarán, Velázquez y Goya.
El edificio fue empezado a construir por Juan de Villanueva en 1785 por orden del rey Carlos III.

(7) Madrid y Barcelona son las dos ciudades más importantes de España. Madrid es la capital y Barcelona, ciudad por-tuaria, es el más importante centro industrial.
Tradicionalmente hay una cierta rivalidad entre los ciudada-nos de ambas ciudades, una de cuyas manifestaciones es el fútbol.

(8) La Puerta de Alcalá es uno de los símbolos de Madrid. Es

un arco triunfal dedicado a Carlos III y construido en el siglo XVIII por Sabatini.Está situada en la calle del mismo nombre, una de las más importantes calles de la ciudad, y está delante de una de las entradas del parque de El Retiro.

(9) La Cibeles, otro símbolo de Madrid, es una fuente situada en una plaza en el cruce de la calle de Alcalá y el Paseo del Prado construida en el XVIII, bajo el reinado de Carlos III.

(10) La entrada a los museos es gratuita para los españoles. Basta con enseñar el documento nacional de identidad.

(11) Célebre cuadro de Velázquez, pintor español (1599-1660), fechado en 1656.

(12) Cuadro de Velázquez realizado en 1657.

(13) Cuadro de Goya, pintor español (1746-1828), adquirido por el estado español en 1986.

(14) Churro: masa de harina frita en aceite, en forma cilíndrica unida por las puntas, muy consumido en Madrid en el desayuno y que se vende en toda España, especialmente en verbenas y fiestas populares.
Porra: churro recto y grueso.

(15) En bares y restaurantes es habitual dejar una pequeña cantidad, aproximadamente el 5 % del dinero a pagar, en concepto de servicio.

(16) Es un recipiente donde los camareros dejan las propinas que luego se reparten proporcionalmente.

(17) Los estancos son tiendas donde se vende tabaco y sellos. También puede comprarse tabaco en bares y puestos ambulantes pero un poco más caro.
Los sellos también pueden adquirirse en las oficinas de Correos.

(18) «Ducados» es la marca de tabaco negro más consumido por los españoles.

(19) La calle Serrano es una de las más importantes calles del barrio de Salamanca, barrio burgués por excelencia donde se encuentran las tiendas más elegantes de la ciudad.

(20) «Botín», conocido restaurante de cocina castellana cercano a la Plaza Mayor.

(21) Bebida compuesta de cola y ron, muy consumida por los españoles.

(22) Buero Vallejo es un famoso dramaturgo español contemporáneo y académico de la lengua. «Las Meninas» es una obra teatral que se estrenó en 1960 en la que el autor pretende dar una visión crítica de la España de la época de Velázquez (s. XVII) y, simbólicamente, de la España de los 60.

(23) Toda la parte en cursiva pertenece al texto de la obra.

(24) Cita textual de la obra.

Notes

(1) Le Retiro est le parc le plus important de la ville. Il est situé au centre de Madrid.

(2) Pipas: graines de tournesol grillées et salées.
Palomitas: «pop corn», maïs grillé.
Barquillos: oublies, genre de gaufres de forme cylindrique.
Ces trois produits sont consommés habituellement par les enfants et les jeunes gens.

(3) Avant de déjeuner ou de dîner, les Espagnols prennent souvent l'apéritif qui consiste, pour eux, en une boisson, souvent alcoolique, qu'ils accompagnent d'amuse-gueule: pommes de terre frites, olives, cacahuètes, calmars et petits poissons frits, etc...

(4) Lac artificiel, aménagé au centre du parc et où l'on peut louer de petites barques.

(5) Le Palais de Velázquez et le Palais de Cristal sont situés au centre du Retiro. Construits en 1887 par l'architecte Ricardo Velázquez Bosco, ils sont utilisés aujourd'hui comme salles d'exposition.

(6) Le Prado est un des musées de peinture les plus importants du monde.
On peut y admirer plus de 3000 tableaux et la collection la plus importante de peinture espagnole: Murillo, El Greco, José de Ribera, Zurbarán, Velázquez et Goya.
La construction de l'édifice, oeuvre de l'architecte Juan de Villanueva, commença en 1785 par ordre du roi Charles III.

(7) Madrid et Barcelone sont les deux villes les plus importantes d'Espagne. Madrid est la capitale et Barcelone, ville portuaire, est le principal centre industriel.
Traditionnellement, il existe une certaine rivalité entre les habitants des deux villes, rivalité qui se manifeste notamment dans le domaine du football.

(8) La Porte d'Alcala est un des symboles de Madrid. Elle consiste en un arc de triomphe dédié à Charles III et construit au XVIIIe siècle par Sabatini. Située dans la rue du même nom, une des plus importantes de la capitale espagnole, elle se trouve devant une des entrées du parc du Retiro.

(9) La Cibeles, autre symbole de Madrid, est une fontaine située au centre d'un rond-point, au carrefour de la rue d'Alcala et de la Promenade du Prado. Elle a été construite au XVIIIe siècle, sous le règne de Charles III.

(10) L'entrée dans les musées est gratuite pour les Espagnols sur présentation de leur carte d'identité.

(11) Célèbre tableau de Velázquez, peintre espagnol (1599-1660), datant de 1656.

(12) Tableau de Velázquez, peint en 1657.

(13) Tableau de Goya, peintre espagnol (1746-1828), acquis par l'Etat espagnol en 1986.

(14) Churro: pâte à frire passée dans l'huile bouillante, à laquelle on donne la forme d'une boucle à section tubulaire, dont on fait une grande consommation à Madrid au petit déjeuner et qui se vend dans toute l'Espagne, notamment dans les fêtes foraines.
Porra: sorte de «churro» plus gros mais de forme allongée.

(15) Pourboire: en Espagne, environ 5 % du montant de l'addition ou du service.

(16) Cagnotte: les garçons y déposent les pourboires pour les partager ensuite entre eux.

(17) Estanco: Bureau de tabac. On y vend le tabac et les timbres poste. On peut aussi acheter du tabac dans les bars et à des marchands ambulants, en le payant plus cher. Les timbres se vendent également dans les bureaux de poste.

(18) «Ducados»: la cigarette de tabac brun la plus fumée en Espagne.

(19) La rue Serrano est une des principales artères du quartier madrilène de Salamanca, quartier bourgeois par excellence où sont installés les magasins les plus importants de la ville.

(20) Restaurant spécialisé dans la cuisine castillane, situé près de la «Plaza Mayor».

(21) Boisson composée de coca-cola et de rhum, très consommée par les Espagnols.

(22) Buero Vallejo est un écrivain et auteur théâtral très connu.

(23) Toute la partie en italique appartient au texte de la pièce.

(24) Citation textuelle de la pièce.

Cross references

(1) «El Retiro» is the most important park in Madrid. It is located in the centre of the city.

(2) Pipas = sunflower seeds toasted and salted.
Palomitas = pop-corn.
Barquillos = rolled wafer.
These three things are usually eaten by children and young people.

(3) On some occasions shortly before lunch Spaniards usually have a drink, frequently an alcoholic one, accompanied by something to eat such as chips, olives, peanuts, fried fish, etc.

(4) An artificial lake in the middle of the park where rowing boats can be hired.

(5) Velazquez Palace and the Crystal Palace are located in the middle of «El Retiro». They were built by the architect Ricardo Velázquez Bosco in 1887 and are now used as exhibition halls.

(6) The Prado is one of the most important art galleries in the world. There are nearly 3.000 paintings in it and the most complete collection of Spanish paintings: Murillo, El Greco, José Ribera, Zurbarán, Velázquez and Goya.
The building was started by Juan de Villanueva in 1785 by order of King Charles III.

(7) Madrid and Barcelona are the two most important cities in Spain.
Madrid is the capital and Barcelona with its harbour is the most important industrial centre.
There has traditionally been a certain rivalry between the inhabitants of both cities and one of its manifestations is seen in football matches.

(8) Alcalá Gate is one of Madrid's symbols. It is a triumphal arch

in memory of Charles III built by Sabatini in the 18th century. It is located in the street of the same name, one of the most important of the city, in front of one of the main entrances to El Retiro Park.

(9) «La Cibeles» (representation of the Greek Goddess Cybele) is another symbol of Madrid. It is a fountain located in a circus where Alcalá Street and El Prado Promenade cross. It was built in the 18th century in the reign of Charles III.

(10) Entrance to museums is free for all Spaniards, you have only to show the national identity card.

(11) A famous painting by Velázquez, a Spanish painter (1599-1660), dated 1656.

(12) Velázquez's painting painted in 1657.

(13) A painting by Goya, a Spanish painter (1746-1828), bought by the Spanish State in 1986.

(14) Churro: a twist of batter deep-fried in olive oil; it has a circular form joined at both ends;it is eaten for breakfast very frequently in Madrid and it is sold all over Spain in fairs and popular festivals.
Porra: a straight, thicker «churro».

(15) At pubs and restaurants, it is customary to leave a small amount of money, about 5 % of the amount to be paid, for service.

(16) It is a receptacle where waiters put the tips received which are proportionally shared later on.

(17) The tobacconists' are shops where tobacco and postage stamps are sold.
You can also buy tobacco in pubs and from vendors in the street, but a little bit more expensive.
Postage stamps can also be bought at the Post Office.

(18) «Ducados» is the brand of black tobacco most popular among the Spaniards.

(19) Serrano Street is one of the most important streets in Salamanca District, a bourgeois district par excellence where the most elegant shops of the city can be found.

(20) «Botín» is a well-known restaurant, Castilian cooking, very near Plaza Mayor.

(21) A drinkable made of cola and rhum that is usually taken by most Spaniards.

(22) Buero Vallejo is one of the most famous contemporary Spanish dramatists and an Academician of the Spanish Language. «Las Meninas» is a theatre play performed for the first time in 1960. It is a play in which the author tries to give a critic view of the Spain in Velázquez' time and symbolically of the Spain in the 1960's.

(23) All the piece in italics belongs to the text of the play.

(24) Contextual quotation of the play.

Anmerkungen

(1) Der «Retiro» ist der bedeutendste Park Madrids. Er befindet sich im Zentrum der Stadt.

(2) Pipas: geröstete und gesalzene Sonnenblumenkerne.
Palomitas: Pop Corn.
Barquillos: eine Art Gebäck in zylindrischer Form.
Diese drei Sachen werden vor allem von Kindern und Jugendlichen gern verzehrt.

(3) Kurz vor dem Mittagessen trinken die Spanier gewöhnlicherweise noch etwas, häufig ein alkoholisches Getränk; dazu essen sie eine Kleinigkeit, wie Kartoffelchips, Oliven, Erdnüsse, Tintenfische, frittierte Fischchen etc.

(4) Ein künstlich angelegter See im Zentrum des Parks, wo man Ruderboote ausleihen kann.

(5) Der «Velázquez-Palast» und der «Glaspalast» liegen im Herzen des Parks «Retiro». Sie wurden 1887 vom dem Architekten Ricardo Velázquez Bosco erbaut und werden heute zu Ausstellungszwecken genutzt.

(6) Der «Prado» ist eines der wichtigsten Gemäldemuseen der Welt. Es beherbergt nahezu 3000 Bilder und die vollständigste spanische Gemäldesammlung: Murillo, El Greco, José de Ribera, Zurbarán, Velázquez und Goya.
Auf Anordnung von Carlos III wurd 1785 von Juan de Villanueva mit der Errichtung des Gebäudes angefangen.

(7) Madrid und Barcelona sind die wichtigsten Städte Spaniens. Madrid ist die Hauptstadt und Barcelona, die Hafenstadt, ist das bedeutenste Industriezentrum. Traditionsgemäss existiert eine gewisse Rivalität zwischen den Einwohnern beider Stadte, die, zum Beispiel beim Fussball, zum Ausdruck kommt.

(8) Die «Puerta de Alcalá» ist eine der Symbole von Madrid. Es ist ein Triumphbogen, der Carlos III gewidmet ist und im 18.

30

Jahrhundert von Sabatini erbaut wurde. Er befindet sich in der Strasse, die denselben Namen trägt, eine der wichtigsten Strassen der Stadt, und vor einem der Eingänge zum Park «El Retiro».

(9) Die «Cibeles», ein anderes Symbol von Madrid, ist ein Brunnen, der sich auf der Kreuzung Alcalá-Strasse und «Paseo de Prado» befindet. Er wurde im 18. Jahrhundert unter der Herrschaft von Carlos III errichtet.

(10) Der Eintritt in die Museen ist für Spanier kostenlos; sie müssen nur ihren Personalausweis vorzeigen.

(11) Berühmtes Gemälde von Velázquez, spanischer Maler (1599-1660), aus dem Jahr 1657.

(12) Gemälde von Velázquez, aus dem Jahr 1657.

(13) Gemälde von Goya, spanischer Maler (1746-1828), 1986 vom spanischen Staat erworben.

(14) Churro: Spritzgebäck aus Mehlteig, das in Öl ausgebacken wird, und dessen Enden zu einer Art Schleife übereinandergelegt werden; als Frühstück in Madrid sehr verbreitet; sie werden in ganz Spanien verkauft, besonders bei Volksfesten.

(15) Porra: Das ist ein dicker, gerader «Churro».

(16) In Kneipen und Restaurants ist es üblich, eine kleine Summe, etwa 5 % der Rechnung, für die Bedienung zu geben.

(17) Das ist ein Gefäss für die Trinkgelder, die später zu gleichen Teilen an die Kellner aufgeteilt werden.

(18) Die «Estancos» sind Geschäfte, wo Tabakwaren und Briefmarken verkauft werden. Man kann Tabak auch in Kneipen und bei ambulaten Strassenhändlern kaufen, allerdings ist er da etwas teurer.

(19) «Ducados» ist die von den Spaniern am meisten gerauchte schwarze Tabakmarke.

(20) Die Serrano-Strasse ist eine der bedeutensten Strassen im Stadtviertel Salamanca, eines der typischen Bürgerviertel, wo sich die elegantesten Geschäffe der Stadt befinden.

(21) «Botín», bekanntes Restaurant mit kastilischer Küche in der Nähe des «Plaza Mayor».

(22) Ein von den Spaniern viel getrunkenes Cola-Rum-Getränk.

(23) Buero Vallejo ist ein berühmter, spanischer, zeitgenössischer Dramaturg und gehört der «Akademie der Sprache» an. «Las Meninas» ist ein Theaterstück, das 1960 uraufgeführt wurde und in dem der Autor beabsichtigt, eine kritische Darstellung zu geben, in Bezug auf das Spanien der Zeit von Velázquez und symbolisch auf das Spanien der 60-er Jahre.

(24) Der ganze Teil in Kursivschrift gehört zum Text des Theaterstücks.

(25) Textzitat.